Fungie & An Tine Mhór

SÁBHÁLANN FUNGIE AGUS A CHAIRDE AN DAINGEAN

FUNGIE AND HIS FRIENDS SAVE THE DAY FOR DINGLE

AnnMarie McCarthy & Ré Ó Laighléis

An Chéad Chló 2012, MÓINÍN
Loch Reasca, Baile Uí Bheacháin, Co. an Chláir, Éire.
Fón / Facs (065) 707 7256
Ríomhphost: moinin@eircom.net
Idirlíon: www.moinin.ie

Foras na Gaeilge

Tá MÓINÍN buíoch de
Fhoras na Gaeilge
as tacaíocht airgeadais a chur ar fáil.

Tá taifead catalóige i leith an leabhair seo ar fáil
i Leabharlann Náisiúnta na hÉireann.

Tá taifead catalóige CIP i leith an leabhair seo ar fáil
i Leabharlann na Breataine.

ISBN 978-0-9564926-7-8

Dearadh Téacs agus Léaráidí le Link Associates

Dearadh Clúdaigh, bunaithe ar léaráid de chuid
AnnMarie McCarthy, le Link Associates

Arna phriontáil agus cheangal ag Castle Print Ltd., Gaillimh.

I ndorchadas dubh na hoíche
Agus An Daingean ina shuan,
Lastar spréach i seomra stórais
I lár an bhaile chiúin.

Deep dark one Dingle night-time,
When the world seems fast asleep,
A spark crackles in the storeroom
Of a shop down on Main Street.

Spréach – spréach eile – 's an tríú spréach,
's ansin léimeann ina bladhm,
Ag breith ar éadaí agus bhoscaí cáirtchláir
– tá an uile ní ina greim.

It sparks not once, not twice, but three times over,
Then grows into a blaze,
Catching clothes and boxes and paper things,
All going up in smoky haze.

Amuigh i mBá an Daingin,
Féach Fungie chugainn! Féach!
É ag snámh ar bharr an uisce
Nuair a airíonn sé an spréach
Á lonrú féin ina shúil mhór ghéar,
Agus, leis sin, ar an bpointe,
Tuigeann sé an dainséar,
Agus gluaiseann ar nós na gaoithe.

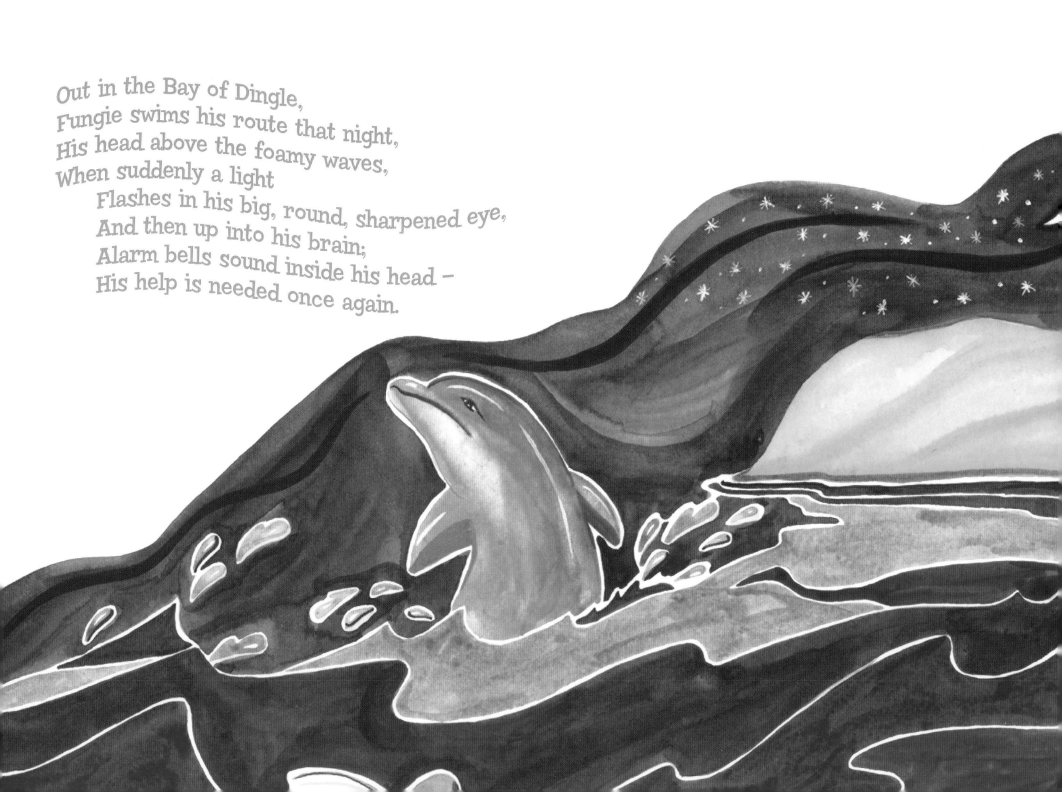

Out in the Bay of Dingle,
Fungie swims his route that night,
His head above the foamy waves,
When suddenly a light
    Flashes in his big, round, sharpened eye,
    And then up into his brain;
    Alarm bells sound inside his head –
    His help is needed once again.

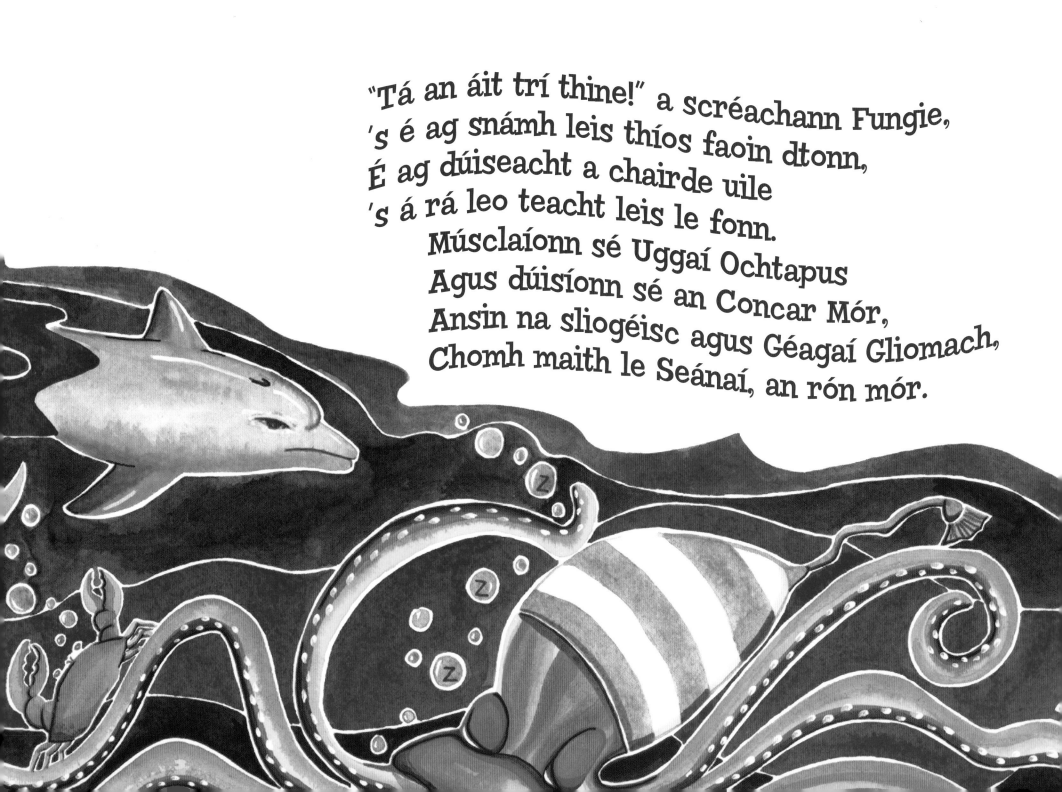

"Tá an áit trí thine!" a scréachann Fungie,
's é ag snámh leis thíos faoin dtonn,
É ag dúiseacht a chairde uile
's á rá leo teacht leis le fonn.
Músclaíonn sé Uggaí Ochtapus
Agus dúisíonn sé an Concar Mór,
Ansin na sliogéisc agus Géagaí Gliomach,
Chomh maith le Seánaí, an rón mór.

"A fire! A fire!" cries frantic Fungie,
As he swims throughout the deep,
Awakening friends and creatures all around,
Who have drifted off to sleep.
  He musters Uggy Octopus
  And calls in on Conger Eel,
  Crabs, prawns, cockles, skate and Leg the Lobster,
  And also Seánaí Seal.

Siar leis go Máirtín Diúilicín,
's as sin chuig na Ribí Róibéis,
Croitheann sé an Smugairle Róin
'gus Learaí Bairneach ag aon am leis.

He scoots by to Marty Mussel,
Likewise to the Misses Shrimpette,
He jostles Jerry Jellyfish
And loosens Larry Limpet.

"Tá an áit trí thine!" a bhéiceann Fungie,
Agus siar leis i dtreo Chinn Mhara,
Áit a bhfuil pluaisín ag a chara mór
– An mhaighdean mhara, Mara.

"A fire!" cries Fungie once again,
As he swims beyond Cinn Mhara,
Making for the favourite sea-cave
Of his friend, the Mermaid Mara.

"Tá an áit trí thine, a Mhara, a Mhara!"
ar sé in ard a ghutha,
Is de chasadh boise, sin Mara roimhe,
Agus feisteas dóiteáin uirthi.

"Mara, Mara, the town's ablaze,"
He shouts, as he draws near,
And, in a jiffy, the mighty mermaid
Throws on fire-fighting gear.

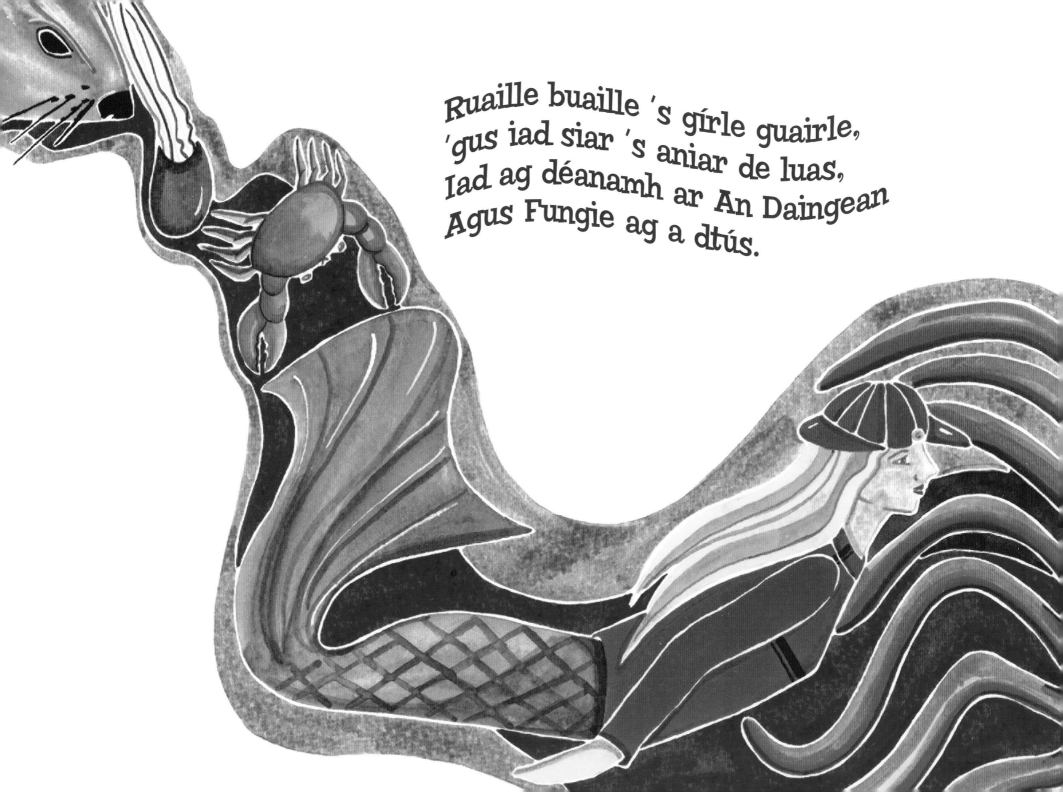

Ruaille buaille 's gírle guairle,
'gus iad siar 's aniar de luas,
Iad ag déanamh ar An Daingean
Agus Fungie ag a dtús.

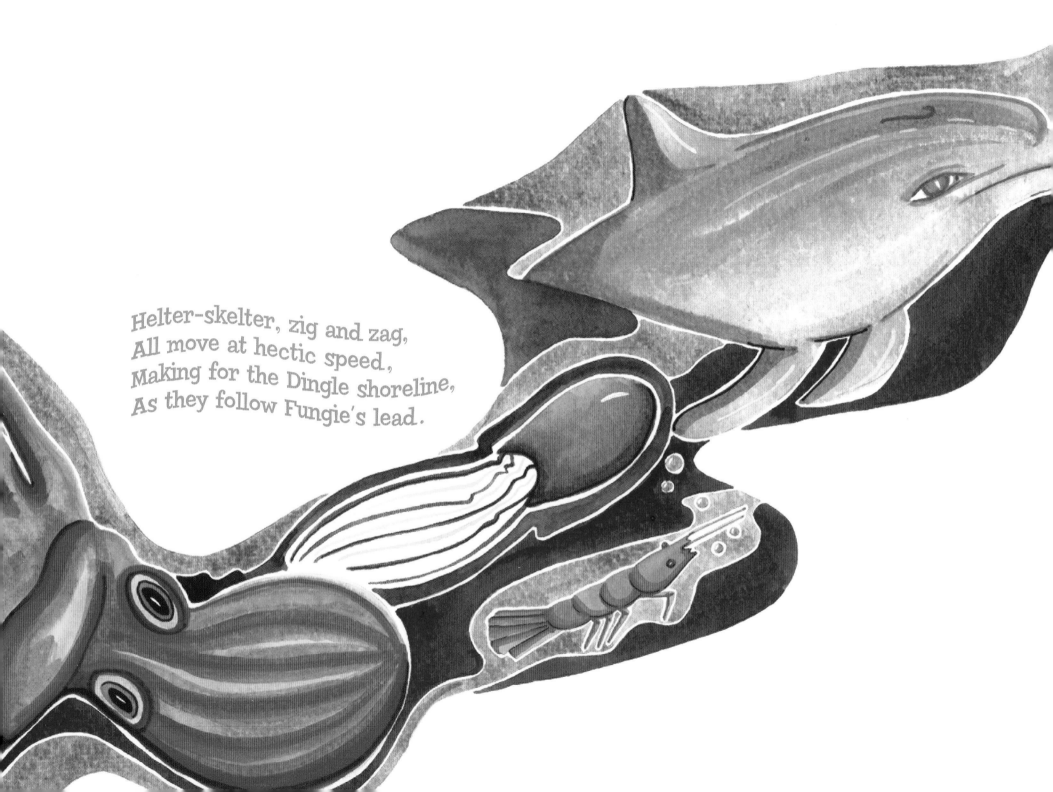

Helter-skelter, zig and zag,
All move at hectic speed,
Making for the Dingle shoreline,
As they follow Fungie's lead.

'S céard seo rompu i lár an bhaile
Ach tine mhór bhuí rábach,
'gus féach ár gcairde mara
's iad fágtha ina staic.

And there before them, in the town,
Roars the mighty blaze.
For some seconds, our sea-creature friends,
In shock, look on, amazed.

"An píobán dóiteáin!" arsa Fungie,
Agus síneann sé a lapa,
's ar aghaidh le Géagaí agus Uggaí
's iad ag gluaiseacht leo go tapa.
Amach leis an bpíobán rollach,
's iad á cheangal leis an sconna –
Géaga gealtacha i ngach áit
- Ó, tá cúrsaí go hana-dhona!

"The hose," cries Fungie, "no time to waste!"
And he points in to the shore.
Leg the Lobster and Uggy Octopus move
As they've never moved before.
They grab the hose and roll it out,
And lock it to the hydrant,
Loopy-legs-a-lashing-loosely,
Then they pause to sigh and pant.

Sliogánaigh, Mara 's Máirtín Diúilicín -
Iad ag cuidiú leis an obair,
Iad le hUggaí 's Géagaí Gliomach
Ag dul i dtreo an bhóthair.

Molluscs, Mara, Marty Mussel
Then grab the mighty hose,
As Uggaí and Leg the Lobster
Steer it towards the road.

Tarraingt, turraing, brú 's cnead,
Iad ag déanamh ar an bPríomhshráid,
Nuair a fhógraíonn Fungie scíste tamall
Le go dtabharfaidh sé óráid:
  "A bhráithre groí na mara,
  Caithimid cuidiú lenár gcairde.
  Slogaimis gach braon uisce is féidir
  As grinneall mór na farraige."

They pull, they drag, they push and pant,
All making for Main Street,
When Fungie calls a halt to matters
And then begins to speak:
  "Friends of the sea, it's up to us,
  The humans are asleep.
  Let's suck as much water as we can
  From down there in the deep."

Bhuel, diúlann siad 'gus slogann siad
'gus diúlann siad a thuilleadh,
Ansin beireann siad ar an bpíobán
's tarraingíonn siad uile.

Well, they suck and suck, then suck some more,
Until their lungs are full,
Then they also man the water hose
And all begin to pull.

Tarraingt, turraing athuair eile
's ní fada iad ina bhun
Nuair a fheictear iad ar an bPríomhshráid,
Mar a bhfuil lasracha ag léim le fonn.

So, they pull and tug and pull again,
And in no time at all,
They find themselves on Main Street,
Where the flames creep up the wall.

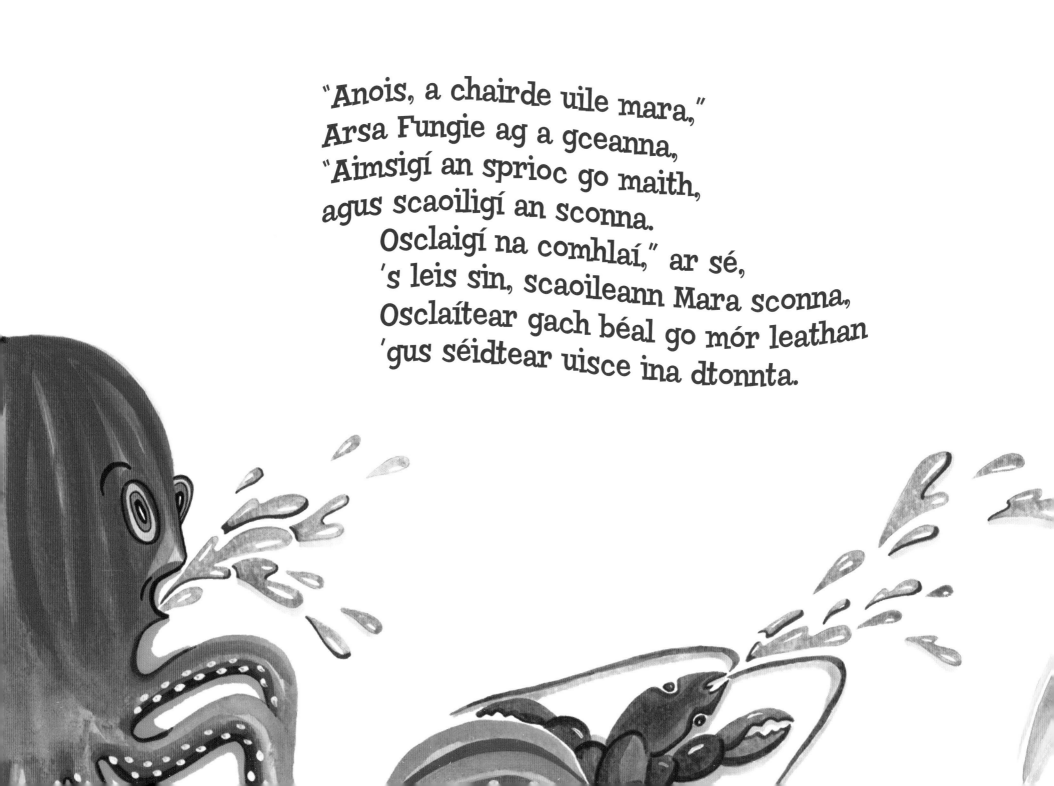

"Anois, a chairde uile mara,"
Arsa Fungie ag a gceanna,
"Aimsigí an sprioc go maith,
agus scaoiligí an sconna.
    Osclaigí na comhlaí," ar sé,
    's leis sin, scaoileann Mara sconna,
    Osclaítear gach béal go mór leathan
    'gus séidtear uisce ina dtonnta.

"Now then, my scaly, shelly shooters,"
says Fungie, pointing to the hose,
"Make sure your aim is spot on target
And that all the water flows.
    Release the valves," he orders,
    And Mara twists the hose-head tap,
Then they open their mouths right widely
And decide to give it ZAPPPPPPP!

"Yahúúú! Yipííí!" 'gus "Yabbadúúú!"
A bhéiceann siad le gáire,
Nuair a fheiceann siad na lasracha
Á múchadh ag an uisce.
Tá na boscaí cáirtchláir báite fliuch
Ach tá an siopa slán sábháilte,
Toisc laochra cróga na mara
A tháinig isteach thar sáile.

"Yahooo! Yippeee!" and "Yabbadooo!"
The sea creatures shout with glee,
As, instantly, the flames die down,
And there for all to see
    Are some smoking burnt-out boxes,
    But the building has been saved,
    By the brilliant band of firefighters
    Who came in on the wave.

"Treise libh, a laochra uile!"
Arsa Fungie lena chairde.
"Siar linn go pluaisín Mhara,
áit a dhéanfaimid ceiliúradh."
    Snámhann roinnt faoin uisce,
    Cuid eile ar bharr na dtonn,
    Agus sroiseann siad pluais Mhara,
    Áit a shuíonn siad siar le fonn.

'Ahoy, me hearties, one and all!"
Shouts Fungie with great glee.
'All back to Mara's for the party,"
And they head off towards the sea.
    Some swim beneath the water,
    While others surf the wave,
    And, before too long, each one of them
    Arrives at Mara's cave.

Ach istigh i mBaile an Daingin
Tá an uile dhuine ina suí,
's tá Méara mór an bhaile ann
Is é ag caint ar scrios na hoích':
    "Is é Fungie agus a chairde
    a rinne éacht," ar sé.
    "Céad míle gáir le Fungie!
Bheimis caillte murach é!"

But meanwhile, back in Dingle town
The people have awakened,
And they've come to see the burnt-out shop
And "Unless I am mistaken,"
  Says the Mayor of Dingle town,
  "we've been saved by Fungie and his crew.
  So, three cheers for you, our Fungie.
  We'd be lost if not for you."

"Céad míle gáir le Fungie!"
A deir na daoine uile,
"Agus míle gáir lena chairde,
a thug slán sinn ar an tine."

"Hooray, Hooray for Fungie!"
The people cheer and shout,
"And Hooray for Fungie's sea-friends,
who have really helped us out."

Ach siar ón gcuan, i bpluaisín Mhara,
Áit a bhfuil gleo agus míle gáire,
Cloistear gártha mhuintir an bhaile
Á seoladh chucu thar sáile.
    "Húrá lenár gcara iontach!"
A bhéiceann cairde Fungie féin,
"Húrá le Deilf dhílis an Daingin,
a shábháil cách ón scéin."

Some miles away, in Mara's cave,
As they sip their lemonades,
Our sea-friends hear the people's shouts
Coming across the waves:
"Hooray for Fungie!" they cheer too,
As they raise their glasses high,
"Hooray for our darling Dolphin,
who is Dingle's pride and joy."

AnnMarie McCarthy, *Ealaíontóir*

Is as Luimneach do AnnMarie McCarthy. Ghlac sí céim i nDearadh Éadaí sa Choláiste Ealaíne agus Dearaidh, Luimneach. Ghnóthaigh sí dioplóma i ndearadh leabhar do pháistí sa London Art College agus tá gradaim bronnta uirthi as a hobair dhearaidh ar Fheisteas Cniotáilte do Pháistí. Tugann AnnMarie ceardlanna san ealaín i leabharlanna agus scoileanna in Éirinn agus thar lear. Chomhoibrigh AnnMarie agus Ré i ndéanamh an tsaothair *An Coileach a Chailleann a Ghlór* agus is ar a shála sin anois a thagann an tríú leabhar seo ar *Fungie*, mar atá *Fungie & An Tine Mhór*. I láthair na huaire, tá an bheirt ag obair ar shraith úrnua don léitheoir óg.

AnnMarie McCarthy is a native of Limerick. She has taken a degree in Fashion Design from the Limerick College of Art and Design. She has also garnered a diploma in Children's Book Illustration from the London Art College and is an award-winning Children's Knitwear Designer. AnnMarie is widely known for her art workshops in schools and libraries, both here in Ireland and abroad. She and Ré are the co-creators of 'An Coileach a Chailleann a Ghlór', and here, hot on the heels of that success, is the third book in the Fungie series, 'Fungie & An Tine Mhór'. AnneMarie and Ré are currently collaborating on the development of a new series for younger readers.

Ré Ó Laighléis, *Scríbhneoir*

Is as Sail an Chnocáin i mBaile Átha Cliath do Ré Ó Laighléis ach tá cónaí anois air sa Bhoireann i gContae an Chláir. Is iarmhúinteoir é a bhfuil a cháilíochtaí agus a shaineolas iarchéime in Oideachas na Léitheoireachta. Is scríbhneoir leabhar do pháistí, dhéagóirí agus dhaoine fásta é. Scríobhann sé i nGaeilge agus i mBéarla. Tá mórchuid duaiseanna náisiúnta agus idirnáisiúnta gnóthaithe aige agus tá go leor dá scríbhinní aistrithe go teangacha eile. Chomh maith lena gcomhiarracht dar teideal *An Coileach a Chailleann a Ghlór*, d'oibrigh Ré agus AnnMarie le chéile cheana ar na leabhair *Fungie* agus *Fungie & Mara*, agus is é *Fungie & An Tine Mhór* an tríú leabhar sa tsraith sin.

Ré Ó Laighléis is from Sallynoggin, Co. Dublin, and now lives in The Burren, Co. Clare. He is a former teacher, and his postgraduate degrees are in Education of Reading. Ré writes for children, teenagers and adults, and in both English and Irish. His writings have garnered many awards, nationally and internationally, and his works have been widely translated. 'Fungie & An Tine Mhór' is the fourth book on which Ré and AnnMarie have collaborated. Amongst his English works are 'Heart of Burren Stone', 'Battle for the Burren', 'The Great Book of the Shapers' and the multi-translated titles 'Hooked', 'Ecstasy & other stories' and 'Terror on the Burren'. Other Irish titles include 'Bolgchaint agus scéalta eile', 'Goimh agus scéalta eile', 'Gafa', 'Osama, Obama, Ó, a Mhama!' and many others.

Comhiarrachtaí eile leis na hÚdair Chéanna

Fungie (MÓINÍN, 2010)
Fungie le DVD (MÓINÍN, 2011)
Fungie & Mara (MÓINÍN, 2011)
Fungie & An Tine Mhór (MÓINÍN, 2012)
An Coileach a Chailleann a Ghlór (MÓINÍN, 2012)

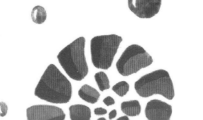